W9-BKV-740

¿CUÁNTOS?

Menena Cottin

EDICIONES TECOLOTE

Ella es **una** niña.

Yo soy **un** niño.

Cuatro niñas
y **seis** niños
formamos
un grupo de **diez**.

Nueve son
mis amigos,
porque
el **décimo** soy yo.

Las niñas son
menos de la **mitad**
del **grupo**:
son la **minoría**.

Los niños somos
más de la **mitad**
del **grupo**:
somos la **mayoría**.

Ellas llevan
sus vestidos estampados,
unas con **ocho** flores,
otras con **tres**.

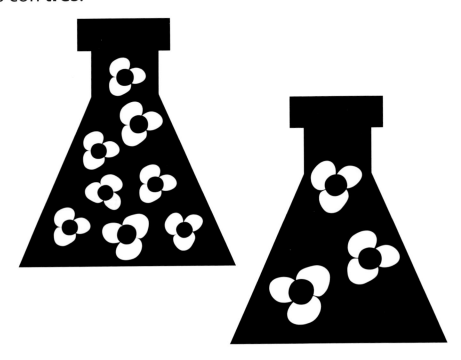

Nosotros llevamos camisas de **siete** botones y pantalones.

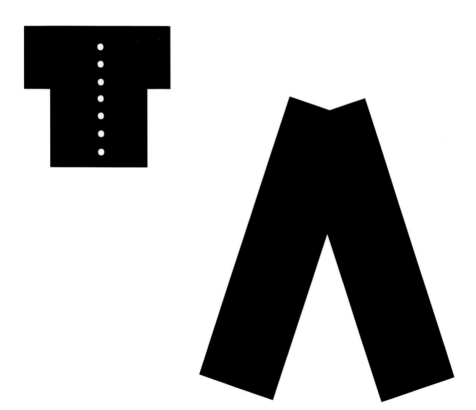

Nadie lleva sombrero,
pero **todos** tenemos
la cabeza cubierta por
cientos de **miles** de pelos.

Todas las niñas
llevan zapatos,
y **casi todos** los niños
también.

Dos zapatos
son un **par**.
Nueve **pares**
son **muchos** zapatos.

Pocos pies están descalzos,
solamente los míos.
En cada uno tengo **cinco** dedos,
y una **decena** en **ambos** pies.

Segunda edición: 2013
D.R. © Menena Cottin
D.R. © Ediciones Tecolote, S.A. de C.V.
General Juan Cano 180,
Col. San Miguel Chapultepec,
México, D.F., 11850
tecolote@edicionestecolote.com
www.edicionestecolote.com
Edición: Mónica Bergna
Impreso y hecho en México,
en los talleres de Offset Rebosán,
en febrero de 2013.
Tiraje: 1500 ejemplares.

Cottin, Menena
        ¿Cuántos? / Menena Cottin. – México : Ediciones Tecolote, 2013.
    24 p. : Il.

    ISBN: 978-607-7656-79-1

    1.   Aritmética (elemental). 2. Literatura infantil. I. t.

    513.211   C6   2013